# El pug despega

# DIARIO DE UN PUG

## El pug despega

por

Kyla May

BRANCHES™

SCHOLASTIC INC.

# A Mikka May

Originally published in English as *Diary of a Pug #1: Pug Blasts Off*

Translated by Abel Berriz

Special thanks to Sonia Sander

Art copyright © 2019 by Kyla May
Text copyright © 2019 by Scholastic Inc.
Translation copyright © 2020 by Scholastic Inc.

Photos © Kyla May 2019

ISBN 978-1-338-60365-1

10 9 8 7 6 5 4 3 2          21 22 23 24 25

Printed in South China   38
First Spanish printing, 2020

Book design by Kyla May and Sarah Dvojak

# Contenido

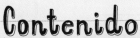

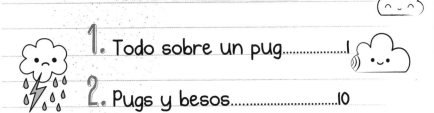

# Capítulo 1

## TODO SOBRE UN PUG

**VIERNES**

Querido Diario:

Mi nombre es **BARÓN VON BURBUJAS**, pero todos me llaman

# BU.

Estos son algunos datos sobre mí:
Siempre me visto para llamar la atención.

#pugunicornio

#pugabejorro

#pugperrito caliente

## <u>Pongo caras diferentes</u>:

Cara de
"Ráscame la pancita"

Cara de
"Necesito salir"

Cara de
"EN SERIO
necesito salir"

Cara para Duquesa
(Ella se comporta como una reina).

Te puedes retirar, sirviente.

¡Oye, tú no eres mi jefa!

DUQUESA

Cara para Nuez
(Siempre me roba las cosas).

¡Mira lo que tengo!

¡Oye! ¡Dame eso!

NUEZ

# Estas son algunas de mis cosas favoritas:

## MI PATINETA

## OSITO

## MANTEQUILLA DE MANÍ

¿Sabes qué cosas NO son mis favoritas?

## MOJARME.

Cuando Bella, mi humana, me trajo a casa, me metí a la bañera llena de burbujas con ella. Pero, ¡uy! ¡Debajo de las burbujas había AGUA! A Bella le hizo gracia que me sorprendiera. (Por eso me puso mi nombre).

BELLA

¿Sabes qué otra cosa es mojada? LA LLUVIA. NO saldré bajo la lluvia ni aunque necesite hacer mis necesidades.

## ¡No! ¡NO!

## ¡No! ¡NO! ¡NO!

Pero volvamos a Bella. Ella es lo más importante en mi vida. Nos conocimos en una feria de adopción de mascotas. Fue amor a primera olida.

¡Eres taaan lindo!

¿Qué huele tan rico?

Juntos hacemos muchas cosas divertidas. Uno de nuestros pasatiempos favoritos es hacer MANUALIDADES.

A veces Bella puede ser olvidadiza, como cuando se va para la escuela y olvida su almuerzo. Yo siempre se lo llevo.

Hablando de escuela, extraño tanto a Bella cuando ella está allí.

¡Pero, yupi! Hoy es viernes. ¡Ya está aquí el fin de semana! ¡Me pasaré dos días enteros con Bella! Le di una gran bienvenida esta tarde cuando regresó a casa.

¡Ay, Bu! ¡Yo también te extrañé!

¿Sabes qué? ¡Te tengo una sorpresa! Pero...

tendrás que esperar a mañana. Ahora estoy cansada. Vamos a acurrucarnos, ¿quieres?

¿¿¿ ???

Diario, me encanta acurrucarme, pero no puedo dejar de pensar en la sorpresa. ¿Qué será?

# Capítulo 2

🐶 X 🐶 X

## PUGS Y BESOS

SÁBADO

Querido Diario:

Esta mañana TENÍA que saber cuál era la sorpresa. Traté de despertar a Bella temprano.

INTENTO #1:

LAME LAME

Ya Bubi.

Pensé que la Bella Durmiente NUNCA se levantaría. Hasta que decidí usar la estrategia que jamás me ha fallado.

# INTENTO #3:

¡Desafío del Inventor!

¡Demuestra tu creatividad creando un invento!

Premios al mejor invento, invento más creativo ¡y mucho más!

¿Cuándo? ¡Este viernes!

¡Cielos! ¡Un proyecto de manualidades para hacer juntos! Se me ocurrían tantas ideas.

Pero Bella quería investigar un poco primero. La cosa iba muy, muuuyyy lenta. Hice lo que pude para ayudar.

Necesitamos encontrar el proyecto adecuado.

¿Puedes parar, Duquesa?

No creo, Burbujita.

Ay, Diario. Odio cuando Duquesa me llama así. ¡No podía dejar que se saliera con la suya!

La perseguí por la cocina...

y por la sala...

y finalmente por la habitación de Bella.

Casi la había atrapado cuando...

Bien hecho, Burbujita.

Le hubiera dado una buena respuesta, lo juro. Pero tenía mucha HAMBRE.

ÑAM ÑAM

PAPITAS

Justo en ese momento, Bella dio un brinco.

¡La explosión que hizo ese paquete me ha dado una idea, Bubi! Ya sé qué vamos a inventar. ¡Vayamos mañana a comprar materiales!

No tenía idea de cuál sería el invento, Diario, pero cualquier excusa es buena para ir de compras.

¡La que sea!

# Capítulo 3

## DE COMPRAS CON PUG

**DOMINGO**

Querido Diario:

Antes de ir a la tienda, Bella y yo nos probamos mucha ropa hasta hallar las adecuadas.

¡Tacháaaan!

¿Quién luce mejor?

En la tienda, intenté adivinar cuál sería el invento.

> ## CARTULINA
> Ay, no. A Duquesa le encanta la cartulina. Ojalá este proyecto no sea algo para ella. Eso sería fatal.

> ## CINTA ADHESIVA
> No puede ser. La última vez que usé cinta adhesiva, la cosa NO terminó bien.

Terminamos de pagar y aún no SABÍA cuál sería el invento. Pero, Diario, camino a casa, mi PEOR PESADILLA se hizo realidad. ¡Empezó a llover! Tuve que improvisar para no mojarme.

¡Tontito! Es solo un poco de agua.

Pues el agua es mi peor ENEMIGA.

¡Estaba tan contento cuando llegamos secos a casa!

Mientras Bella trabajaba en el invento, intenté ser el mejor ayudante del mundo.

Pero **YO SABÍA** que la cinta adhesiva traería problemas.

¡Huy!

Por fin, Bella añadió la última pieza al invento. ¡De repente, supe lo que era!

¡Un cohete! ¡Sin duda ganaríamos el DESAFÍO DEL INVENTOR! Le demostré a Bella cuán orgulloso estaba de ella.

LAME
LAME

Tengo hasta el viernes para que quede perfecto. Tú y yo podremos probarlo mañana después de la escuela, ¿de acuerdo?
¡Muy pronto volaremos, Bu!

¡¿QUÉ?! ¿Pensaba Bella que yo iba a VOLAR en el cohete? Ay no, Diario. Tengo un mal presentimiento...

# Capítulo 4

## PUG SE DESENCADENA

LUNES

Querido Diario:

Bella se fue a la escuela y me pasé el día preocupado por tener que volar en el cohete. ¡Imagínate! ¡Yo, astronauta! La idea no me gustaba. Ni siquiera quería mortificar a Duquesa.

Nervioso, ¿eh?

Eso no es asunto tuyo.

Normalmente, un día sin Bella me parece una eternidad, pero hoy las horas pasaron volando. NO QUERÍA montarme en ese cohete, no señor. Estaba tan nervioso que deseaba que lloviera para no poder salir afuera. ¿Te imaginas, Diario? ¡Barón von Burbujas DESEANDO de todo corazón que cayera un chaparrón!

En un abrir y cerrar de ojos, Bella ya estaba en casa. Traté de mostrarme contento, pero no podía ni menear la cola.

Bella sacó el cohete al patio. Yo llevé a Osito para que me diera suerte.

Resultó que Bella nunca tuvo la intención de probar el cohete conmigo. ¡Uff! Busqué a Osito para celebrar, pero no estaba por ninguna parte. En ese instante, ¡una estela gris atravesó el patio!

¡Ay, esa Nuez! Es la ardilla más astuta de los alrededores. Tenía que rescatar a Osito, pero Nuez trepó al árbol, a donde no podía alcanzarla. (Mis piernas **NO** sirven para trepar).

Bella estaba haciendo el conteo regresivo para el lanzamiento del cohete.

En eso, se me ocurrió una idea: ¡el cohete sería el vehículo perfecto para llegar hasta Nuez! Tenía miedo, Diario, pero Osito me necesitaba.

En el último segundo, salté sobre el cohete y DESPEGUÉ CON ÉL.

¡AAAAAAYYYY!
El cohete comenzó a girar
descontrolado. Pero logró
llegar hasta el árbol.

# ¡PLAF!

Ay, Bubi, ¿estás bien?

Bella me bajó del árbol, pero nunca la había visto tan triste. El cohete estaba hecho trizas por todo el patio. Recogimos algunos pedazos, pero no encontramos los demás.

Ay, Bu, ahora no podremos ganar.

Diario, no soporto ver a Bella triste. No quise arruinar su invento. Tengo que arreglar lo que hice. Pero ¿cómo?

# Capítulo 5

## PUG VS. ARDILLA

**MARTES**

Querido Diario:

Pasé toda la manaña buscando los pedazos del cohete.

OLFATEA
OLFATEA

Los encontré casi todos, y también encontré a Osito. Pero aún faltaba una pieza: una aleta. Adivina quién la tenía.

Le puse mi famosa CARA DE SÚPLICA a Nuez.

Por favor, por favor, por favor, por favor, devuélvela.

Pero Nuez quería hacer un trueque.

Si te devuelvo la aleta, ¿qué me das a cambio?

Me devané los sesos. ¿Qué podría darle a Nuez por la aleta?

No quería deshacerme de mi mantequilla de maní, pero no tenía otra opción. Lo que fuera por hacer feliz a Bella.

Nuez nunca había oído hablar de la mantequilla de maní. Para convencerlo, me puse un traje especial, por supuesto.

¡Te presento la mantequilla de maní! Piensa en lo MÁS RICO que hayas probado. Ahora, multiplica ese sabor por MIL MILLONES! ¡Es la cosa MÁS DELICIOSA de la Tierra!

Te escucho.

¡Y puede ser tuya a cambio de la aleta! ¡Una verdadera ganga!

Podía notar el interés de Nuez. Hasta meneaba la cola. Finalmente bajó del árbol.

¡No podía creerlo! Pero, ay, solo tenía UN frasco, así que corrí a la casa a buscar otro.

Agarré un segundo frasco de la despensa y salí corriendo cuando...

¡BUM! El cielo retumbó con un trueno y comenzó a llover.

Diario, no tenía otra opción. El trato tendría que esperar hasta mañana.

Bella llegó de la escuela un poco después.
Le mostré las partes del cohete que había
encontrado.

Eres un buen
perro, Bu, pero
aún falta una
aleta. La parte
más importante.

Bella salió a buscar la aleta, pero Nuez
debió de haberla escondido. Intentó hacer
una nueva, pero no teníamos suficiente
cartulina (ni cinta adhesiva).

Me lo prometí a mí mismo, Diario. Llueva
o no llueva, ¡mañana conseguiré la aleta!

# Capítulo 6

## LLUEVEN GATOS Y PUGS

### MIÉRCOLES

Querido Diario:

¡Quedan DOS días para el Desafío del Inventor! Hoy era mi última oportunidad para resolver el problema. Pero otra vez estaba lloviendo, así que tuve que ser creativo.

Tal vez podría usar una catapulta para lanzarle la mantequilla de maní a Nuez.

CATAPULTA

Tal vez podría mandársela en el viejo camión de bomberos de Bella.

BOMBEROS

O no.

**NUEVO PLAN:** Saldría bajo la lluvia.
¡Pero NO me mojaría!

Al principio, el cubo parecía una buena
idea.

Mi **SEGUNDA IDEA** prometía hasta que
salí.

Regresé a la casa y me senté a pensar. TENÍA que haber una manera de enviarle la mantequilla de maní a Nuez sin mojarme.

¿Necesitas ayuda, Burbujita?

Psss... Estoy pensando. Oye... ¡espera!

Diario, se me ocurrió la mejor idea en la historia de las ideas. ¡Construir un túnel hasta el árbol!

Agarré todas las cosas impermeables que encontré. Las coloqué para cubrir el camino hasta el árbol.

Bella llegó de la escuela en el momento en que me decidía a salir.

Pasé la primera parte del túnel sin problema, pero a medio camino resbalé en el lodo. La mantequilla de maní salió volando, y no recuerdo que sucedió después.

Esto no pinta bien.

Aún estaba mareado... y muy mojado cuando Bella me salvó. Pero adivina qué, Diario. ¡Nuez DEVOLVIÓ LA ALETA!

¡¡Mi valiente Bubi!! ¡Encontraste la aleta Y saliste bajo la lluvia por mí! ¡Eres el mejor perro del mundo!

Estaba TAN cansado que ni siquiera me importó que me bañaran después de todo eso. Pero Diario, ¡pasó una cosa muy rara!

¡Mira, Bu! Hasta Duquesa está impresionada por lo que hiciste hoy.

Bien hecho, pug.

¡¿Duquesa acaba de decirme algo AMABLE?!

Mientras Bella me arropaba, me susurró una cosa al oído.

Bu, ya tenemos todas las piezas del cohete. ¡Pero lo que hiciste hoy me dio una idea para un invento MEJOR! Lo construiremos mañana, ¿de acuerdo?

¿¡Otro invento?! Diario, estoy demasiaaado cansado ahora para pensar en otro proyecto. ¡Buenas noches!

## Capítulo 7

# PUG AL RESCATE

**JUEVES**

Querido Diario:

> Levántate, dormilón. ¡Necesito tu ayuda!

> ¡Allá voy!

Teníamos mucho que hacer. La nueva idea de Bella es fantástica, ¡sobre todo porque YO soy el protagonista!

Bella quería construirme un refugio para la lluvia. Nunca más tendré que hacer mis necesidades bajo el agua. ¡YUPI!

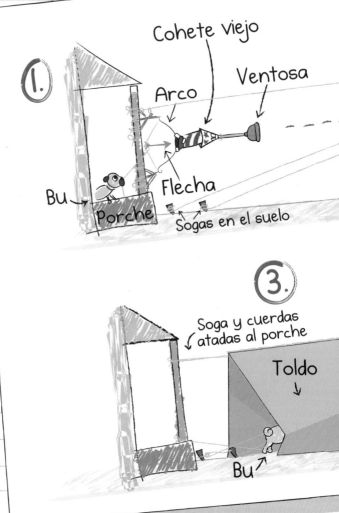

Árbol de Nuez

Toldo enrollado

2.

Diana

Cuerdas de guía del toldo

Árbol de Nuez

Diana

Ventosa

Refugio para Bu

Hoy salió el sol... ¡menos mal!
Construimos mi refugio en el patio. Fui
de gran ayuda.

Trabajamos desde las tres de la tarde hasta que se puso el sol. No paramos ni para cenar. Finalmente, el refugio estuvo listo.

Tengo tanta hambre que me comería esta soga. Y esa caja. Y aquella flor.

¡Hay que probarlo, Bu!

Llegó el momento de la verdad.
Agarré la soga y halé con todas mis
fuerzas.

¡Crucemos los dedos,
Bu! ¿O debería decir las
patas?

¡Hurra! ¡Funcionó!
¡¡¡Lo logramos!!!

El cohete surcó el aire y movió el pestillo que sujetaba el toldo. Este se desenrolló y cayó en su lugar.

Bella y yo empacamos el proyecto para llevarlo mañana al DESAFÍO DEL INVENTOR. Luego intentamos dormir un poco. Pero, Diario, tenía mis dudas. El refugio había funcionado en casa, pero... ¿funcionaría en la escuela?

¿Todavía despierto, Bu?

Sí...

# Capítulo 8

## ¡BUENA SUERTE, PUG!

**VIERNES**

Querido Diario:

Estaba taaan nervioso esta mañana. Y, a veces... cuando estoy nervioso... ocurren accidentes.

¡Qué asco!

¡Pobre Bubi! No te preocupes. Vamos a vestirnos. ¿Qué nos ponemos?

MODA: ¡el tema perfecto para quitarme las preocupaciones de la mente!

Encontramos la ropa adecuada y salimos para la escuela.

Traté de que no se nos quedara nada.

¡No olvides esto!

¿Qué sería de mí sin ti, Bu?

Duquesa salió corriendo de la casa cuando nos íbamos y me dio el cascabel de su collar.

No puedo creer que vaya a decir esto, Diario, pero tal vez Duquesa no sea tan mala.

Armamos nuestro invento en el gimnasio de la escuela. ¡Había muchos proyectos geniales! Me volví a poner nervioso.

Ay, Bubi, ¿otra vez te sientes mal? Todo va a estar bien. ¡Lo harás genial!

Desafío del Invento

¡Lo siento!

Y... lo siento otra vez.

¡Muy pronto nos llegó la hora! ¿Funcionaría el refugio como en casa? Halé la soga...

¡Y funcionó! ¡YUPIIIIIII! Olvidé el nerviosismo. ¡Todo salió a la perfección!

¿Puedes creerlo, Diario?

¡Ganamos el PREMIO AL MEJOR INVENTO PARA MASCOTAS!

De vuelta en casa, Bella me tenía otra sorpresa.

Diario, mi nuevo impermeable es
súper, híper genial. Y Bella también.

Kyla May es una ilustradora, escritora y diseñadora australiana. Además de libros, Kyla crea dibujos animados. Vive cerca de la playa en Victoria, Australia, con sus tres hijas y un pug llamado Osito.

# ¿CUÁNTO SABES ACERCA DE

 "DIARIO DE UN PUG

El pug despega"?

Un apodo es una versión corta de un nombre. Bella me puso Barón von Burbujas, y simplemente me llama "Bu". ¿Por qué?

¿Por qué salió mal el valeroso intento de Bu de rescatarme del árbol?

¿Qué me da Bu a cambio de la aleta del cohete de Bella?

¿Qué problema le resolví a Bu con mi invento ganador?

Imagina que vas a participar en una competencia de inventos. Primero, describe detalladamente lo que inventarías. ¡Luego haz un dibujo de tu invento!

scholastic.com/branches